Clifford
LA PICAZÓN

Adaptado por Alison Inches
del guión de televisión "An Itchy Patch"
de Anne-Marie Perrotta y Tean Schultz
Ilustrado por Robbin Cuddy

Basado en la serie de libros de Scholastic:
"Clifford el gran perro colorado",
escritos por Norman Bridwell

Originally published in English as *The Big Itch*

ISBN-13: 978-0-545-15950-0
ISBN-10: 0-545-15950-4

10 9 8 7 6 5 4 3 2 1   09 10 11 12 13 14

Printed in the U.S.A.
First Spanish printing, September 2009

SCHOLASTIC INC.

New York   Toronto   London   Auckland   Sydney
Mexico City   New Delhi   Hong Kong   Buenos Aires

Un día, Clifford tenía picazón.

Se rascó con todo lo que encontró.

Se rascó con el manzano.

—¡Clifford! —dijeron Samuel y

la Srta. Lee.

Se rascó con un semáforo.

—¡Clifford! —dijo el chofer del

autobús.

Se rascó con el camión del Sr. Carson.

—¡Clifford! —dijo el Sr. Carson.

En la casa, se rascó…

y se rascó…

¡y se rascó!

—Si sigue rascándose —dijo el papá

de Emily Elizabeth—, tendremos que

llevarlo donde la veterinaria.

"¿La veterinaria?", pensó Clifford.

Nunca había estado donde

la veterinaria.

Clifford corrió hasta la playa y les

contó a sus amigos.

—Créeme —dijo Cleo—, no es bueno

que te lleven donde la veterinaria.

—¿Qué debo hacer? —dijo Clifford.

—¡Dejar de rascarte! —dijo Cleo—.

¡Si dejas de rascarte, no tendrás que ir!

En la biblioteca, Clifford intentó

no rascarse.

¡Pero cómo le picaba!

Se tiró al suelo y se sacudió.

La Srta. Lee lo vio por la ventana.

—Creo que Clifford tiene mucha

picazón —dijo.

—¡Clifford! —dijo Emily—.

¿Estás rascándote otra vez?

Clifford pretendió jugar.

Lo mismo hicieron Cleo y T-Bone.

—¿Estaban jugando? —preguntó

Emily Elizabeth.

—¡Guau! —ladraron todos.

Emily Elizabeth almorzó en el restaurante de mariscos de Samuel.

—¿Y Clifford? —preguntó Samuel.

—No se ha rascado en todo el día —dijo Emily Elizabeth.

Todos observaron a Clifford.

Se veía contento.

Estaba muy contento.

¡Cleo y T-Bone le rascaban la espalda!

—¡Qué alivio! —decía Clifford.

Pero Cleo y T-Bone se cansaron de rascar.

¡Y Clifford sintió mucha picazón!

Clifford salió corriendo por la playa.

Se zambulló en el agua.

Se rascó con el muelle del ferry.

—¡Clifford! —dijo Emily Elizabeth.

Clifford alzó la cabeza.

—Es hora de ir donde la veterinaria

—añadió ella—. La Dra. Dihn te curará.

Clifford hizo un gesto de dolor.

—No te pasará nada —dijo Emily Elizabeth—.
No te preocupes.

Toda la familia fue donde la veterinaria.

—Hola, Clifford —dijo la Dra. Dihn mientras le examinaba el lomo—. Tengo una crema que te curará ese salpullido.

—El pobre Clifford está solito

en el consultorio —dijo Cleo.

—No está solo —dijo T-Bone—.

Emily Elizabeth está con él. Y ella no

permitirá que nadie le haga daño.

La Dra. Dihn le untó una crema
en la espalda a Clifford.

Él se sintió bien inmediatamente
y aulló de alegría.

Todos se alegraron de verlo sano.

Clifford no dejaba de mover la cola.

Le dio un beso grande a la Dra. Dihn.

—¡Ay! —dijo ella.

—Creo que has hecho un amigo de por vida —dijo Emily Elizabeth.

—La Dra. Dihn te curó completamente

—dijo Emily Elizabeth— y yo siempre

cuidaré de ti porque eres Clifford, ¡mi Gran

Perro Colorado!

¿Te acuerdas?

Encierra en un círculo la respuesta correcta.

1. ¿Dónde tiene Clifford la picazón?
   a. En la cabeza.
   b. En el lomo.
   c. En la panza.

2. En la playa, ¿con qué se rascó Clifford?
   a. El muelle del ferry.
   b. Una canoa.
   c. Un asiento de playa.

¿Qué pasó primero?

¿Qué pasó después?

¿Qué pasó al final?

Escribe 1, 2 o 3 en la línea que hay junto a cada oración.

Clifford se rascó con el camión del Sr. Carson. _____

Clifford fue a la biblioteca con Emily. _____

Clifford se rascó con el manzano. _____